LA SÉRIE
QUE SIGNIFIE . . .

CHEF DE LA PUBLICATION	Joseph R. DeVarennes
DIRECTEUR DE LA PUBLICATION	Kenneth H. Pearson
CONSEILLERS	Roger Aubin Robert Furlonger
DIRECTRICE DE LA RÉDACTION	Marie-Josée Charland
RÉDACTRICE EN CHEF	Chrystiane Harnois
CONSEILLÈRE POUR LA SÉRIE	Sarah Swartz
RÉDACTION	Michel Edery Maryse Gaouette Catherine Gautry Carole Lefebvre Anne-Marie Trépanier
COORDINATRICE DU SERVICE DE RÉDACTION	Jocelyn Smyth
CHEF DE LA PRODUCTION	Ernest Homewood
ASSISTANTS À LA PRODUCTION	Martine Gingras Kathy Kishimoto Peter Thomlison
CHEF ADMINISTRATIF	Anna Good

Données de catalogage avant publication (Canada)

Prasad, Nancy.
  Que signifie—être compréhensif

(Que signifie— ; 7)
Traduction de: What it means to be—understanding.
Pour enfants.
ISBN 0-7172-2520-8

1. Empathie — Ouvrages pour la jeunesse. I. Pileggi, Steve.
II. Titre.   III. Titre: Être compréhensif.   IV. Collection.

BF575.E55P7314 1989   j177   C88-095262-8

QUE SIGNIFIE . . .

ÊTRE

COMPRÉHENSIF

Histoire de
Nancy Prasad

Illustrations de
Steve Pileggi

Tout le monde veut être compris.

Sophie invita Pascale, Caroline et Annie à venir jouer chez elle. Elles étendirent un grand drap sur la table à pique-nique pour en faire une maison. Comme elles commençaient à faire semblant de préparer du thé, la mère de Sophie l'appela et lui dit: «J'ai quelques courses à faire. Veux-tu surveiller Luc pour quelque temps?»

Les filles pensèrent que ce serait amusant, mais Luc ne savait pas comment jouer. Il tira sur le drap et renversa le service à thé. Les filles se fâchèrent et commencèrent à le chasser.

«Ouaaaah!» cria Luc.

«Tu veux jouer, toi aussi, n'est-ce pas?» dit Sophie. «À quoi veux-tu jouer?»

«Baon! baon!» répondit-il.

Caroline trouva un ballon dans le carré de sable. Les filles s'assirent autour de Luc et se mirent à rouler le ballon vers lui.

Parfois, les sœurs et frères cadets peuvent déranger parce qu'ils veulent participer à ce que tu fais. Si tu es compréhensif, tu les incluras dans tes jeux.

Une personne compréhensive aime et accepte les autres tels qu'ils sont.

Les grands-parents de Sarah habitaient très loin. Elle avait vu des photos d'eux la tenant dans leurs bras lorsqu'elle était bébé, mais elle ne s'en rappelait pas vraiment. Aujourd'hui, ils venaient leur rendre visite. Elle était à la fois nerveuse et impatiente.

Toute la matinée, Sébastien resta assis à la fenêtre, les attendant. Enfin, il cria: «Les voici! Ils sont arrivés!»

Sarah se sentit soudain gênée et courut se cacher dans sa chambre.

«Pourquoi te caches-tu?» demanda Sébastien. «Grand-maman et grand-papa veulent te voir.»

«Laisse-la», lui dit sa mère. «Sarah n'est pas comme toi. Cela lui prend du temps à s'habituer à quelqu'un.»

Sarah resta assise dans sa chambre, regardant un livre d'images. Puis, quelqu'un frappa à sa porte. «Puis-je entrer, Sarah?» lui demanda sa grand-mère.

« . . . Oui, je crois», répondit Sarah.

Sa grand-mère entra et remarqua le livre de Sarah. «Jeannot Lapin est un de mes livres préférés», dit-elle. «Il est espiègle—comme Sébastien.»

Sarah se mit à rire. «Comment le sais-tu?» demanda-t-elle.

«Oh! Un petit oiseau me l'a dit», répondit sa grand-mère. «Maintenant, parlons de toi.» Alors Sarah lui montra tous ses jouets et ses livres et les dessins qu'elle avait faits. Après quelque temps, elles descendirent rencontrer grand-père.

Personne n'est exactement pareil à un autre. Si tu es compréhensif, tu ne t'attendras pas à ce que les autres fassent les choses de la même façon que toi.

De bons amis se comprennent.

Pascale était énervée. Elle allait coucher chez
Annie. Elle chantonnait en faisant sa valise. Elle y
mit son pyjama, sa brosse à dents et son livre
préféré. Puis, ce fut le temps de partir.

Annie serra Pascale dans ses bras lorsqu'elle
arriva. «Maintenant, nous pouvons faire semblant
d'être sœurs», dit-elle.

Après le souper, la mère d'Annie leur lut
quelques histoires, puis leur souhaita bonne nuit.
«Ne parlez pas trop longtemps», leur dit-elle en
éteignant la lumière.

Pascale se pencha pour prendre sa poupée
préférée, mais ne la trouva pas! Elle se mit à
pleurer.

«Qu'est-ce qui ne va pas, Pascale?» demanda
Annie.

«C'est bébé Suzie», s'écria Pascale. «Je dors
toujours avec elle—et je l'ai laissée à la maison!
Je veux m'en aller chez moi!»

«Ne pleure pas», dit Annie. «Tu peux dormir
avec bébé Jeanne si tu veux.»

«C'est gentil à toi de me l'offrir», répondit Pascale en pleurnichant. «Mais ce ne serait pas juste parce que c'est ta poupée préférée.»

Annie alluma la lumière. «Eh bien, regarde mes autres poupées», dit-elle. «Tu pourrais dormir avec l'une de mes poupées ce soir.»

«Il n'y a pas de poupées comme bébé Suzie», répliqua Pascale en regardant les poupées d'Annie. Aucune ne faisait tout à fait l'affaire. Puis elle remarqua une poupée à demi-cachée. «Celle-ci semble triste», dit Pascale. «Je vais la tenir dans mes bras pour quelque temps.»

Annie éteignit la lumière. Après un moment elle murmura: «Comment va ton nouveau bébé, Pascale?»

«Chut! elle dort», répondit Pascale.

«Mon bébé dort aussi», dit Annie.

Pour comprendre comment tes amis se sentent, imagine que tu te trouves à leur place. Puis, tu sauras ce qu'il y a de mieux à faire.

Être compréhensif signifie ne pas rire de ceux qui sont différents de nous.

Joël avait perdu une dent et des enfants plus âgés se mirent à rire de lui.

«Hé! L'édenté!» cria l'un d'eux.

Joël avait peur d'ouvrir la bouche. Puis, il rencontra François au parc.

«Écoute ma nouvelle blague», dit François. Il se mit à rire lorsqu'il finit de la conter, mais Joël ne rit pas. «Tu ne l'as pas trouvée drôle?» s'enquit François en se demandant ce qui n'allait pas. Joël riait toujours lorsqu'il lui contait des blagues.

Joël lui expliqua. «Tout le monde rit de moi parce qu'il me manque une dent.»

«Moi, je ne rirai pas de toi», promit François. «De toute façon, une de mes dents branle et tombera bientôt.»

«Tu es un bon ami», dit Joël en souriant. «Raconte-moi une autre blague. Cette fois-ci, je pourrai rire!»

Certaines personnes sont différentes de nous. Si tu es compréhensif, tu comprendras ce qu'elles ressentent et tu ne riras pas d'elles.

Tu dois être très compréhensif lorsqu'un ami est de mauvaise humeur.

Nicolas n'attendit pas ses amis en sortant de l'école, mais commença à marcher seul. Bientôt, Paul, Marc et Joël le rejoignirent.

«Salut Nicolas», s'écria Paul. «Que dirais-tu d'une partie de base-ball?»

«Non, je n'en ai pas envie», répondit Nicolas.

«Nous pourrions nous promener à bicyclette», suggéra Joël.

«Pas aujourd'hui», répondit Nicolas.

Paul commençait à s'énerver. «Alors que veux-tu faire?» demanda-t-il.

«Rien», répondit Nicolas en se retournant.

Marc mit sa main sur l'épaule de Nicolas. «Il m'arrive aussi de ne pas avoir envie de voir mes amis ou de faire quelque chose», dit-il. «Nous serons au parc si tu veux nous voir.»

Nicolas sourit. «Merci Marc», dit-il.

Parfois un ami peut être de mauvaise humeur sans raison. Il vaut mieux attendre qu'il soit de meilleure humeur. Cela ne saurait tarder!

Une personne compréhensive comprend qu'un ami veuille être seul.

Sophie avait aidé sa mère toute la matinée. Quand elle eut mangé, elle songea au livre qu'elle venait de commencer. Elle avait hâte de s'installer confortablement pour reprendre sa lecture.

Elle venait de terminer sa première page lorsque quelqu'un sonna à la porte. «Oh, non!», se dit Sophie. «Je me demande qui ce peut bien être?» C'était Caroline.

«Bonjour Sophie», dit Caroline. «Je me suis ennuyée de toi ce matin. J'ai plein de choses à te raconter! Est-ce que je peux entrer?»

«C'est notre temps tranquille», expliqua Sophie. «Luc fait son somme et moi, je lis mon livre.»

«Tu peux lire n'importe quand», dit Caroline. «Viens jouer. Je veux te montrer ce que je peux faire maintenant à la corde à danser.»

«Je suis désolée, Caroline», dit Sophie. «J'aimerais être seule quelque temps, pour lire.»

«Tu préfères ton livre à tes amis!» cria Caroline qui s'en alla en courant.

Caroline ne savait pas quoi faire lorsqu'elle arriva chez elle. Elle adorait être avec des gens, tout le temps. Pourquoi Sophie voulait-elle être seule? «Sophie ne m'aime plus», pensa-t-elle tristement.

Entre-temps, Sophie essaya de s'intéresser à son livre, mais c'était difficile. Elle était triste parce que Caroline avait crié après elle.

Finalement, Sophie décrocha le téléphone et appela Caroline. «Ne sois pas fâchée, Caroline», dit-elle. «Je veux simplement lire un peu maintenant. Est-ce que je pourrais venir jouer avec toi dans une heure?»

«Je suis contente que tu aies appelé», répondit Caroline. «C'était stupide de ma part de vouloir que tu sois exactement comme moi. À tout à l'heure!»

«D'accord», dit Sophie. Elle retourna à son livre et lut deux chapitres avant que Luc ne se réveille.

Même les meilleurs amis aiment passer du temps seuls, pour lire, dessiner, suivre des leçons de musique ou simplement pour rêver.

Il est important de comprendre les habitudes des autres.

Paul, François et Caroline voulaient organiser une fête. «Nous inviterons Sophie, Nicolas, Sébastien et Joël», dit Paul.

«Et nous mangerons des saucisses, du maïs en épi et des biscuits», dit Caroline.

François avait l'air troublé. «Je suis allé chez Joël et je sais que sa famille ne mange pas de saucisses», dit-il. «Il devrait y avoir autre chose si nous invitons Joël.»

«Pourquoi pas du poulet?» suggéra Paul. «Comme ça, on pourra choisir ce qu'on veut manger.»

Le jour de la fête, Joël et François s'assirent ensemble. «C'est fantastique», s'exclama Joël. «Je suis content que vous m'ayez invité.»

François sourit. «Ce ne serait pas une fête sans toi!»

Les gens ont parfois des habitudes alimentaires différentes des tiennes. Si tu es compréhensif, tu y penseras quand tu inviteras quelqu'un à une fête. Comme cela, personne ne sera mal à l'aise.

Être compréhensif signifie accepter que tu ne peux pas toujours faire exactement ce que tu veux.

«Tout le monde va faire une promenade à dos de poney», dit Simon à sa mère. «Est-ce que je peux y aller, moi aussi?»

«Pas cette fois-ci», lui répondit-elle. «Tu commences à peine à te remettre d'un mauvais rhume.»

«S'il te plaît maman!» supplia Simon.

«Tu peux jouer dehors aujourd'hui, mais ne t'éloigne pas trop», lui dit–elle fermement.

Simon sortit pour trouver quelqu'un avec qui jouer. Mais tous ses amis étaient partis. Comme il passait devant la maison de Mme Hamelin, quelque chose de brillant attira son attention. Il s'approcha et vit un œil qui le regardait. Il s'approcha encore plus et découvrit ce que c'était—un cheval doré à bascule!

«Aaah!» soupira de joie Simon.

Mme Hamelin vit Simon qui admirait le cheval. «Je m'amusais avec ce cheval quand j'étais petite», lui dit–elle. «Voudrais-tu t'amuser avec un peu?»

Ce n'était pas un vrai poney, mais c'était mieux que rien. Simon grimpa sur la selle, mit ses pieds dans les étriers et prit les rênes dans ses mains. «Allez! Vas–y Princesse!» s'écria-t-il, et le cheval doré sembla hennir en basculant d'avant en arrière.

Tout l'après-midi, ils galopèrent ensemble sous le soleil. Comme l'heure de son souper approchait, Simon descendit du cheval et lui flatta la tête. «Merci pour la promenade, Princesse», dit–il «Et merci à vous, Mme Hamelin, de m'avoir permis de m'amuser avec votre cheval.»

Puis il rentra en courant. «Devine quoi, maman!» cria-t-il en entrant. «Je suis allé me promener à cheval après tout!»

Si tu comprends pourquoi tu ne peux pas faire certaines choses, cela te dérangera moins. Tu trouveras même quelque chose que tu peux faire qui est tout aussi amusant.

Tu dois faire des efforts supplémentaires pour comprendre quelqu'un que tu ne connais pas.

Un jour, Nicolas appela Caroline. «Ma cousine Hélène vient me rendre visite aujourd'hui. Mais j'ai un examen de natation, alors je ne peux pas jouer avec elle. Peux-tu m'aider?»

«Bien sûr», répondit Caroline. «Emmène–la chez moi cet après-midi. Elle pourra jouer avec Sophie, François et moi.»

Après le dîner, Sophie et François arrivèrent chez Caroline. «Ce sera amusant d'avoir quelqu'un de nouveau avec qui jouer», dit Sophie.

Lorsqu'on sonna à la porte, ils coururent tous l'ouvrir. «Voici Hélène», annonça Nicolas. «Je ne peux pas rester mais je reviendrai plus tard.»

«Entre, Hélène», dit Caroline. «Nous jouons à des jeux de société. Tu peux choisir.» Hélène choisit un jeu et ils commencèrent à jouer. Tout le monde riait et parlait, sauf Hélène. Elle regardait toujours par la fenêtre.

«Peut-être qu'elle ne nous aime pas», pensa Sophie, en essayant très fort d'être gentille.

«Peut-être s'ennuie-t-elle», songea François, qui commença à raconter des blagues.

Finalement, Caroline dit: «Tu regardes toujours par le fenêtre, Hélène. Aimerais-tu mieux aller jouer dehors?»

«Je n'ai pas été très amusante», dit Hélène. «C'est simplement parce que j'habite un appartement au centre-ville, vous savez, et je ne peux pas jouer dehors très souvent.»

«Et moi qui pensais que tu ne nous aimais pas», dit François en riant. «Venez, on va au parc.»

«Je vais allez chercher mon cerf-volant», dit Sophie.

Hélène se mit à sourire. «Je suis tellement contente que vous compreniez», dit-elle. Et ils coururent ensemble vers le parc en riant et en parlant.

Il est plus facile de comprendre quelqu'un que tu connais bien. Il faut faire des efforts pour comprendre une personne inconnue, parce que tu ne connais rien d'elle.

Si tu es compréhensif, tu aideras les autres à développer leurs talents.

Paul et Marc se promenaient à bicyclette. Ils s'arrêtèrent chez Paul pour boire une limonade froide.

«L'été, c'est formidable, dit Paul, mais je commence à m'ennuyer de faire toujours la même chose chaque jour.»

«Pourquoi n'organisons–nous pas un spectacle de variétés?» proposa Marc.

Ils réunirent tous leurs amis pour discuter de l'idée.

«Pourquoi ne faisons-nous pas une pièce de théâtre au lieu d'un spectacle de variétés?» demanda Caroline.

«Un spectacle de variétés, c'est mieux», insista Paul. «Comme ça, tout le monde peux faire ce qu'il fait de mieux.»

«Nous ne sommes pas obligés de faire l'un ou l'autre», s'exclama Sophie. «Nous pouvons faire les deux!»

«Tout d'abord, il nous faut un maître de cérémonie», dit Marc.

«Je vote pour Marc, dit Sophie, parce qu'il a déjà participé à un spectacle de variétés.» Tout le monde fut d'accord.

«Je jouerai de l'accordéon», offrit Caroline.

«Je chanterai un chanson», ajouta Simon.

«Je raconterai des blagues et des devinettes», renchérit François.

Pascale, Sarah et Annie ne savaient pas ce qu'elles pouvaient faire. «Je parie qu'il y a un conte que vous aimez toutes les trois», dit Caroline. Leur conte préféré était les *Trois petits cochons*.

«Nous en ferons une pièce de théâtre!» suggéra Caroline. «Je dirigerai la pièce et vous jouerez les trois petits cochons.»

«Et moi, je serai le gros méchant loup!» grogna Paul. Tout le monde se mit à rire.

Tu as probablement un intérêt ou un talent bien à toi. Si tu es compréhensif, tu aideras les plus jeunes que toi à découvrir leurs talents.

Si tu apprends à connaître des personnes handicapées, tu comprendras leur mode de vie.

Pascale et Andréane vendaient des chocolats pour recueillir de l'argent pour le Club des jeunes. «L'amie de ma mère habite ici», dit Andréane en sonnant à la porte d'une maison de briques.

«Bonjour Mme Mathieu», dit Andréane. «Voici Pascale. Nous vendons du chocolat pour le Club des jeunes. Voudriez-vous en acheter?»

«Certainement», répondit Mme Mathieu. «Entrez et assoyez-vous. Je vais aller chercher mon sac à main.»

Il faisait un peu sombre à l'intérieur, mais Pascale aimait beaucoup le petit oiseau bleu qui chantait dans sa cage. Mme Mathieu paya Andréane, puis leur servit de la limonade. Les filles approchèrent leurs chaises de la table.

Lorsque Pascale et Andréane se levèrent pour partir, Mme Mathieu leur dit: «Voudriez-vous replacer vos chaises exactement où vous les avez trouvées, s'il vous plaît?»

«Pourquoi?» demanda Pascale.

Mme Mathieu rit doucement. «Tu vois, je ne vois pas. Je suis aveugle.»

Au retour, Pascale dit: «Pourquoi ne m'as-tu pas dit que Mme Mathieu était aveugle?»

«Elle ne veut pas que les gens aient pitié d'elle parce qu'elle ne voit pas», expliqua Andréane.

Pascale dit alors: «Je me demande comment c'est, être aveugle.»

«Nous voici chez toi», dit Andréane. «Rentrons, et je te le montrerai.» Elles se bandèrent les yeux et essayèrent de se retrouver.

«Aïe!» s'écria Pascale en se cognant sur la table. «C'est difficile. J'oublie toujours où sont les meubles.»

«C'est pour cela que Mme Mathieu voulait ses chaises à l'endroit où on les avait prises», dit Andréane.

«Maintenant je comprends pourquoi Mme Mathieu a un oiseau chanteur», dit Pascale pensivement.

Les personnes handicapées ont parfois besoin d'aide. Mais elles veulent néanmoins être traitées comme tout le monde—avec compréhension.

Il est important de comprendre que les personnes âgées ont des habitudes différentes des tiennes.

Pascale, Sarah, Annie et Paul pratiquaient leur pièce de théâtre pour le spectacle de variétés.

«Petit cochon! Petit cochon! Tire la chevillette!» rugit Paul.

«Non, non, non par ma barbichette», répliqua Annie.

Paul cria: «Oh! Oh! Tu ne veux pas m'ouvrir! Eh bien, je vais SOUFFLER sur ta maison—»

«Arrêtez ce vacarme!» cria une voix. Levant la tête, ils virent M. Fortin à sa fenêtre.

«Nous ne faisions que pratiquer notre pièce de théâtre», expliqua Pascale.

«Eh bien, allez pratiquer ailleurs!» dit M. Fortin. «J'essaie de faire un somme.»

«À cette heure?» demanda Paul.

«Tais-toi, Paul», dit Pascale. «Je suis désolée, M. Fortin. Nous ne savions pas que vous essayiez de dormir. Nous irons pratiquer ailleurs.»

Parfois les gens âgés t'agaceront. Avec un peu de compréhension, tu pourras arranger les choses.

Si tu es compréhensif, tu donneras confiance à un ami en difficulté.

«Bienvenue au meilleur spectacle de variétés du monde!» dit Marc. Bientôt, tout le monde riait des blagues de François.

C'était maintenant au tour de Simon de chanter sa chanson de cowboy. «Je ne peux pas», chuchota-t-il à Caroline. «J'ai oublié toutes les paroles.»

«Ne t'inquiète pas», dit Caroline. «Tu verras, tu te rappelleras des paroles lorsque tu entendras la musique.» Caroline avait raison.

Enfin, les trois petits cochons montèrent sur scène. Lorsque le gros méchant loup dit: «Je vais SOUFFLER sur ta maison jusqu'à ce que mon SOUFFLE l'emporte!», M. Fortin se mit à rire et à applaudir avec les autres.

Lorsqu'un ami a peur de faire quelque chose, une personne compréhensive l'encouragera. Voici d'autres façons de te montrer compréhensif:
- Apprends à connaître les gens différents de toi.
- Apprends les habitudes des autres.
- Discute avec tes amis au lieu de te disputer avec eux.
- Laisse tes amis faire des choses seuls.